Domitille de Pressens

émilie
ne veut pas se laver

Mise en couleurs : Guimauv'

émilie !

viens prendre
ton bain,
dit maman.

non, je joue.

allez, émilie,
sois gentille,
dit stéphane.

non !

laisse-moi tranquille.

tu vois bien
que je m'amuse.

maman !

émilie
ne veut pas venir.

oh !

et puis,
elle n'est plus là...

elle s'est cachée !

elle n'est pas ici...

ah ! te voilà,
viens vite te laver.

non !

j'aime pas ça
et puis ça mouille.

et puisque
tu m'ennuies partout
dans la maison,
je vais dehors. na !

oh !

ne sors pas, émilie !
dehors, il fait tout **noir**
et il pleut.

reviens, émilie !
tu vas être mouillée.

tra la la !   tra la la !

je suis sous la pluie,
pas dans le bain.

émilie,
viens te laver !

si arthur prend
un bain,
j'en prendrai un aussi.

ah ! ah ! ah !

c'est trop drôle !

émilie, émilie,

j'entends maman qui arrive...

émilie a peur.
        elle court vite...

prendre son bain.

aaah... finalement...

on est bien
dans son bain,

et puis on s'amuse
beaucoup.

émilie,
il faut sortir
du bain,

dit maman.

non !

j'veux pas sortir !

Mise en page : Guimauv'
www.casterman.com
© Casterman 2009

ISBN 978-2-203-02102-0
Imprimé en Italie
Dépôt légal : mars 2009 ; D. 2009/0053/211
Déposé au ministère de la Justice, Paris (loi n° 49.956 du 16 juillet 1949 sur les publications destinées à la jeunesse).